U0381213

越读越聪明的**数学思维**故事

苏超峰 著

星星湖数学奇遇

四川少年儿童出版社

目 录

在蔚蓝的大海边，有一片茂密的大森林。森林里，一条小河从高高的山上流下来，穿过丛林，流过田野，汇入大海……

一、毛毛的心愿

YI MAOMAO DE XINYUAN

　　 yè　 sè　 qiǎo rán jiàng lín　　 mǎn tiān　 de
　　夜　色　悄　然　降　临　，满　天　的

xīng xing zhǎ　 zhe yǎn jing　　 jiù xiàng yì　 kē　 kē
星　星　眨　着　眼　睛　，就　像　一　颗　颗

shǎn shǎn　 fā guāng de　 bǎo shí　　 diǎn diǎn xīng guāng
闪　闪　发　光　的　宝　石　。点　点　星　光

luò　 zài shān jiǎo　 xià　 de　 xīng xing hé shang　　 shǎn
落　在　山　脚　下　的　星　星　河　上　，闪

shǎn shuò shuò　　 měi　 lì　 jí　 le
闪　烁　烁　，美　丽　极　了　。

　　 xīng xing hé biān　 yǒu zuò hóng wū dǐng de
　　星　星　河　边　有　座　红　屋　顶　的

xiǎo fáng zi　　 zhè shì xiǎo māo máo mao de　 jiā
小　房　子　，这　是　小　猫　毛　毛　的　家　。

chī guo wǎn fàn　　máo mao hé tā de
吃 过 晚 饭 ， 毛 毛 和 他 的

gē ge jiě jie men lái dào yuàn zi li wán　　qí
哥 哥 姐 姐 们 来 到 院 子 里 玩 " 骑

mù mǎ　　de yóu xì　　tā men wéi chéng yí
木 马 " 的 游 戏 。 他 们 围 成 一

gè yuán quān　　dēir jià　　dēir jià　　de
个 圆 圈 ， " 嘚ㄦ 驾 ， 嘚ㄦ 驾 " 地

hǎn jiào zhe　　qí zhe xiǎo bǎn dèng bù tíng de
喊 叫 着 ， 骑 着 小 板 凳 不 停 地

zhuàn quān　　wán de kāi xīn jí le
转 圈 ， 玩 得 开 心 极 了 。

妈妈做完家务，来到院子里，小猫们立刻停止游戏，围到了妈妈身边——猫妈妈讲故事的时间到了。

妈妈望着亮闪闪的星星河，讲起了一个美丽的故事："在星星河的上游，有个星星湖，那是星星沐浴的地方。每天早晨，星星们都会跑到那里去沐浴、嬉戏。等到太阳下了山，星星们才会跳出湖面，回到天上去……"

"妈妈，"毛毛瞪着圆溜

溜的眼睛，好奇地问，"星星
也要洗澡吗？"

妈妈摸着毛毛的头，说：
"当然啦。星星不洗澡，怎么
能发出宝石般的光芒呢？"

"宝石？"毛毛眨巴着眼
睛，兴奋地问，"那我可以把
星星捞起来，做成一条项链吗？"

"呵呵，当然可以！而且，
用星星做的项链肯定比宝石
项链还要漂亮一百倍呢！"

妈妈笑着说，"不过，星星湖
离我们这儿很远很远，路上会

遇到很多很多的困难和危险，

只有聪明、善良、勇敢的人

才能到达星星湖呢！"

这天晚上，毛毛做了一

个梦，他梦见自己来到了星

星湖边，捞了满满一袋子星

星，还穿了一条漂亮的项链

送给妈妈。妈妈戴上星星项

链，笑得好甜、好美。

wán　　qí mù mǎ　　yóu xì de
玩 "骑 木 马" 游 戏 的

shí hou　　máo mao qián bian yǒu　 zhī xiǎo
时 候 ， 毛 毛 前 边 有 4 只 小

māo　　hòu bian yě yǒu　　zhī xiǎo māo　　nǐ
猫 ， 后 边 也 有 4 只 小 猫 。 你

zhī dào yí gòng yǒu duō shao zhī xiǎo māo zài
知 道 一 共 有 多 少 只 小 猫 在

wán　　qí mù mǎ　　de yóu xì ma
玩 "骑 木 马" 的 游 戏 吗 ？

zǐ xì yuè dú qián miàn de gù shi kě
仔细阅读前面的故事，可

yǐ zhī dào wán qí mù mǎ yóu xì de
以知道：玩"骑木马"游戏的

shí hou xiǎo māo men wéi chéng le yí gè yuán
时候，小猫们围成了一个圆

quān suǒ yǐ yí gòng yǒu zhī xiǎo māo zài wán
圈，所以一共有5只小猫在玩

qí mù mǎ de yóu xì
"骑木马"的游戏。

二、野猪的谎言

ER YEZHU DE HUANGYAN

tiān hái méi liàng，máo mao jiù qiāo qiāo
天 还 没 亮，毛 毛 就 悄 悄

de qǐ le chuáng。tā gěi mā ma xiě le yì
地 起 了 床。他 给 妈 妈 写 了 一

zhāng zhǐ tiáo，dài zhe cún qián guàn li suǒ yǒu
张 纸 条，带 着 存 钱 罐 里 所 有

de yìng bì hé yì zhāng yú wǎng zǒu chū le jiā
的 硬 币 和 一 张 渔 网 走 出 了 家

mén —— tā yào qù mā ma gù shi li de xīng
门 —— 他 要 去 妈 妈 故 事 里 的 星

xing hú lāo xīng xing，gěi mā ma zuò yì tiáo
星 湖 捞 星 星，给 妈 妈 做 一 条

piào liang de xīng xing xiàng liàn。
漂 亮 的 星 星 项 链。

máo mao yán zhe xīng xing hé biān de xiǎo
毛 毛 沿 着 星 星 河 边 的 小

lù xiàng hé de shàng yóu zǒu qù tā xiāng
路 ， 向 河 的 上 游 走 去 。 他 相

xìn zhǐ yào yán zhe xīng xing hé wǎng shàng zǒu
信 ， 只 要 沿 着 星 星 河 往 上 走 ，

jiù yí dìng néng zhǎo dào xīng xing hú
就 一 定 能 找 到 星 星 湖 。

wū
呜 ……

lù guò yí piàn xī guā dì shí máo
路 过 一 片 西 瓜 地 时 ， 毛

mao tīng dào bù yuǎn chù chuán lái yí zhèn kū shēng
毛 听 到 不 远 处 传 来 一 阵 哭 声 ，

他赶紧寻着声音走过去，发现原来是一只小刺猬正在伤心地哭。毛毛关切地问："小刺猬，你怎么了，为什么哭呀？"

"我的西瓜被偷走了，一共丢了15个大西瓜，呜……"小刺猬指着凌乱的瓜地，哭得更伤心了。

毛毛仔细观察了瓜地里的脚印，对小刺猬说："你别着急。瓜地里到处都是野猪的脚印，西瓜很可能就是被野猪偷走的。走，我陪你找他去！”

毛毛和小刺猬来到野猪

家时，野猪还躺在被窝里呼

呼大睡呢。看到小刺猬找上

门来，野猪一下子紧张起来：

“你们……找我……有什么事吗？”

“快把小刺猬的西瓜还给

他！”毛毛大声对野猪说道。

“我可没偷什么西瓜，你

不要胡说八道！”野猪装出

一副生气的样子，狡辩道。

“那你说，小刺猬的瓜地

12

里为什么会有你的脚印？"毛毛气呼呼地问。

"这个嘛……"野猪见没法儿抵赖了，他眼珠一转，说道，"我承认，西瓜是我摘的。不过，我已经把西瓜平均分给6只生病的小动物了。我这是在替小刺猬做好事呀！"

"你说谎，15个西瓜不可能平均分给6只小动物！"毛毛一下子识破了野猪的谎言。

"怎么不可能？"

野猪还想继续狡辩，毛毛打断了他的话，说："一共6只小动物，如果分别给一个西瓜，还多出9个西瓜；如果分别给2个，只需要12个西瓜，还多出3个西瓜；如果分别给3个，则需要18个西瓜，又差3个西瓜。你怎么平均分？"

"哦，我说错了，不是平均分的。"野猪的脸都涨红了，他赶紧改口，"他们6只分到的西瓜个数都不一样。"

"你又在说谎！"毛毛

shēng qì de shuō　　　nǐ zài bù bǎ xī guā
生 气 地 说 ，"你 再 不 把 西 瓜

huán gěi xiǎo cì wei　　wǒ jiù qù qǐng dà xiàng
还 给 小 刺 猬 ， 我 就 去 请 大 象

jǐng zhǎng lái
警 长 来 ！"

　　　　　yě zhū yì tīng máo mao yào jiào dà xiàng
　　　　野 猪 一 听 毛 毛 要 叫 大 象

jǐng zhǎng lái　　xià de lián shēng shuō　　bié
警 长 来 ， 吓 得 连 声 说 ："别 ，

bié jiào dà xiàng jǐng zhǎng　wǒ bǎ xī guā huán
别 叫 大 象 警 长 ！ 我 把 西 瓜 还

gěi xiǎo cì wei jiù
给 小 刺 猬 就

shì le　　shuō
是 了 。" 说

wán　　tā jiù bǎ
完 ， 他 就 把

cáng zài wū li de
藏 在 屋 里 的

xī guā bào le chū
西 瓜 抱 了 出

lái
来 。

kǎo kao nǐ
考考你

野猪说他把15个西瓜分给了6只小动物，而且每只小动物分到的西瓜个数都不一样。毛毛为什么说野猪这是在说谎呢？

yǒu zhī xiǎo dòng wù fēn dào le xī guā
有 6 只 小 动 物 分 到 了 西 瓜 ，

qiě měi zhī xiǎo dòng wù fēn dào de xī guā gè shù
且 每 只 小 动 物 分 到 的 西 瓜 个 数

bù yí yàng nà me zuì shǎo xū yào de xī guā gè
不 一 样 ， 那 么 最 少 需 要 的 西 瓜 个

shù shì gè
数 是 ：1 + 2 + 3 + 4 + 5 + 6 = 21（ 个 ），

gè xī guā gēn běn bú gòu fēn suǒ yǐ
15 个 西 瓜 根 本 不 够 分 ， 所 以 ，

yě zhū yí dìng shuō huǎng le
野 猪 一 定 说 谎 了 。

máo mao bāng xiǎo cì wei bǎ xī guā yùn
毛 毛 帮 小 刺 猬 把 西 瓜 运

huí jiā hòu tài yáng yǐ jīng shēng de lǎo gāo
回 家 后 ， 太 阳 已 经 升 得 老 高

le máo mao gào bié le xiǎo cì wei jì
了 。 毛 毛 告 别 了 小 刺 猬 ， 继

xù gǎn lù
续 赶 路 。

走着走着，毛毛突然觉得脸上凉丝丝的。

"哪儿来的水珠呢？"毛毛抬头一看，只见大片大片的乌云聚在天空，豆大的雨点噼里啪啦地落了下来。毛毛看到前面不远处有间房子，就赶紧跑了过去。

房子的主人不在家，毛毛只好躲在屋檐下避雨。

雨越下越大，放眼望去，天地间已经是白茫茫的一片。

就在这时，远处出现了几个身影。毛毛仔细一看，原来是几只狐狸正朝着这边跑来。

"难道这里是狐狸的家？"

毛毛吓了一跳，赶紧跑到屋子后面藏了起来。

"这该死的雨，把我都淋成落汤鸡了！"一只狐狸踹

开房门，气急败坏地说。

"是啊，要不是这场雨，咱们还可以多偷几只鸡呢！"又一只狐狸说。

"原来是几只偷鸡的狐狸！"毛毛想，"我得把里面的情况弄清楚，然后告诉大象警长！"毛毛站起身，想从窗户看清里面的情况。可他个子太矮了，踮起脚都够不着窗户，他只好把耳朵贴在墙壁上，偷听狐狸的对话。

"老大，咱们把这些鸡分

了吧！”一只狐狸说。

“嗯，好啊！”说话的应该是狐狸头子，“咱们每人分2只吧！”

“那还剩下2只鸡呀，怎么办？”有只狐狸提出了疑问。

　　"那就每人分3只！"狐
狸头子又说。

　　"可这样，鸡又不够分
了，还差2只鸡呢！"

　　"那……"狐狸头子想了

想，说，"每人分2只鸡，多出来的2只归我！"

"凭什么你要多分2只鸡呀？"一听说狐狸头子想多分2只鸡，其他狐狸都不乐意了，七嘴八舌地嚷了起来。

"我得赶紧去找大象警长来救小鸡！"听了狐狸的对话，毛毛迅速计算出了房子里有几只狐狸，还计算出了被他们偷来的小鸡的数量。不等雨停，毛毛就赶紧向警察局跑去。

nǐ zhī dào fáng zi li yǒu jǐ zhī
你 知 道 房 子 里 有 几 只

hú li ma tā men yí gòng tōu le duō
狐 狸 吗？他 们 一 共 偷 了 多

shao zhī xiǎo jī ne
少 只 小 鸡 呢？

从狐狸的对话中我们可以知道，狐狸和鸡的数量是不变的，并且狐狸和鸡的数量都大于一只。

我们用假设法来思考。

先假设狐狸的数量，再按照两种不同的分法分别计算出鸡的数量：

假设狐狸的数量	鸡的数量	
	按"每只狐狸分 2 只鸡,还剩 2 只鸡"计算	按"每只狐狸分 3 只鸡,还差 2 只鸡"计算
2	2 × 2 + 2 = 6(只)	3 × 2 − 2 = 4(只)
3	2 × 3 + 2 = 8(只)	3 × 3 − 2 = 7(只)
4	2 × 4 + 2 = 10(只)	3 × 4 − 2 = 10(只)
5	2 × 5 + 2 = 12(只)	3 × 5 − 2 = 13(只)
6	2 × 6 + 2 = 14(只)	3 × 6 − 2 = 16(只)
……	……	……

从表格可以看出，只有当狐狸的数量是 4 时，两种分法计算出的鸡的数量相等。所以，屋子里有 4 只狐狸、10 只鸡。

yǔ guò tiān qíng　　tiān biān chū xiàn le
雨 过 天 晴 ，　天 边 出 现 了

yí dào měi lì de cǎi hóng
一 道 美 丽 的 彩 虹 。

shèng xià de xīng xing hé zhēn měi a
盛 夏 的 星 星 河 真 美 啊 ！

qīng qīng de hé shuǐ dào yìng zhe lán tiān　　shuǐ
清 清 的 河 水 倒 映 着 蓝 天 ，　水

yě biàn de lán yíng yíng de　　hé àn shang　　gè
也 变 得 蓝 莹 莹 的 。 河 岸 上 ，　各

zhǒng yán sè de yě huā jìng xiāng kāi fàng　　dàn
种 颜 色 的 野 花 竞 相 开 放 ，　淡

dàn de huā xiāng lìng rén táo zuì
淡 的 花 香 令 人 陶 醉 。

毛毛沿着星星河，穿过田野，走进树林，来到了一座大山脚下。一条巨大的瀑布从山上倾泻而下，在这里形成了一个大水潭。水潭的水沿着星星河一路东流，汇入大海。星星河的上游就在这座高高的大山上，只有爬上山，才有可能找到星星湖。

毛毛四处寻找，都没有

发现上山的路。毛毛一咬牙，钻进了茂密的山林。林子里低矮的灌木挂破了毛毛的衣服，那些带齿的藤蔓划破了他的脸。可毛毛顾不上疼，继续勇敢地往山上爬去。

太阳渐渐西沉，鸟儿们陆续回了家。毛毛突然发现，自己现在走的路是刚才走过的。糟糕，毛毛迷路了，在绕着这片林子打转呢！

"哈哈，又抓住一个！"

就在毛毛非常着急的时候，

突然听到前方传来一阵欢快

的笑声。原来，是一群小松

鼠在玩捉迷藏。

毛毛仿佛看到了救星，

赶紧跑过去，问："小松鼠，

请问，到星星湖该怎么走？"

"等一会儿，没看见我们

正在玩游戏吗？"一只小松

鼠看了毛毛一眼，蹿到了一

棵大树上。

"天都快黑了，我急着赶

路呢！"毛毛有些着急了。

"我们一共有16只松鼠在

玩捉迷藏，"另一只小松鼠说，

"现在我已经找到9只了，等

我把另外7只都找到了，就

给你带路。"

"不对啊，应该

只剩下6只松鼠没找

到了。"毛毛发现这

只小松鼠算错了。

"哈哈，你

连这么简单的减

法都算错，真是

gè xiǎo bèn dàn
个 小 笨 蛋 ！ ”

xiǎo sōng shǔ dé yì de
小 松 鼠 得 意 地

shuō jiǎn qù
说 ， “16 减 去 9，

nán dào děng yú ma
难 道 等 于 6 吗 ？ ”

nǐ de suàn fǎ bú
“ 你 的 算 法 不

duì jiē zhe máo mao shuō chū
对 ！ ” 接 着 ， 毛 毛 说 出

le zì jǐ de jì suàn fāng fǎ
了 自 己 的 计 算 方 法 。

hēi hēi nǐ cái shì duì
“ 嘿 嘿 ， 你 才 是 对

的！" 小松鼠听了，为自己

的马虎大意感到很不好意思。

他赶紧招呼自己的伙伴，一

起给毛毛带路。

máo mao wèi shén me shuō zhǐ shèng
毛毛为什么说只剩

xià zhī sōng shǔ méi bèi zhǎo dào
下6只松鼠没被找到？

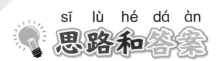
xiǎo sōng shǔ zài jì suàn shí wàng jì bǎ
小松鼠在计算时，忘记把

zì jǐ pái chú zài wài le suǒ yǐ jì suàn chū
自己排除在外了，所以计算出

de jié guǒ duō le yì zhī zhèng què de jì suàn
的结果多了一只。正确的计算

fāng fǎ yīng gāi shì
方法应该是：16 − 9 − 1 = 6（只^{zhī}）。

五、巧算吃饭钱
WU QIAO SUAN CHIFAN QIAN

毛毛在小松鼠们的指引下走出密林时，天空已经是群星闪烁了。

毛毛又累又饿，在路边坐下休息。这时候，哥哥姐姐们一定正围坐在餐桌旁，吃着香喷喷的烤鱼，喝着浓浓的鱼汤。毛毛想妈妈了，他有些后悔离开家来这里寻找星星湖啦。

可是，就在毛毛仰起头看到星星的时候，这种后悔的感觉一下子就消失了。"星星真美啊，我一定要给妈妈做一条星星项链！"毛毛暗暗给自己鼓了鼓劲儿，站起身来，继续赶路。

毛毛沿着

xiǎo lù zǒu
小 路 走

le hěn jiǔ zhōng
了 很 久 ， 终

yú zhǎo dào le yì
于 找 到 了 一

jiā lǚ diàn tā jué dìng xiān jìn qù tián bǎo
家 旅 店 。 他 决 定 先 进 去 填 饱

dù zi hǎo hǎo xiū xi yí xià míng tiān
肚 子 ， 好 好 休 息 一 下 ， 明 天

zài gǎn lù
再 赶 路 。

zǒu jìn lǚ diàn máo mao cái fā xiàn
走 进 旅 店 ， 毛 毛 才 发 现

shǒu diàn de shì zhī xiǎo lǎo shǔ máo mao è
守 店 的 是 只 小 老 鼠 。 毛 毛 饿

huài le gǎn jǐn qǐng xiǎo lǎo shǔ gěi tā duān
坏 了 ， 赶 紧 请 小 老 鼠 给 他 端

lái le yì tiáo yú yì wǎn fàn hé yì wǎn
来 了 一 条 鱼 、 一 碗 饭 和 一 碗

tāng láng tūn hǔ yàn de chī le qǐ lái
汤 ， 狼 吞 虎 咽 地 吃 了 起 来 。

chī bǎo hē zú zhī hòu máo mao mō
吃 饱 喝 足 之 后 ， 毛 毛 摸

le mō zhàng gǔ gǔ de dù zi duì xiǎo lǎo
了 摸 胀 鼓 鼓 的 肚 子 ， 对 小 老

39

鼠说："小老板，请问总共多少钱啊？"

小老鼠很不好意思地对毛毛说："我的爸爸妈妈到我叔叔家去了，要很晚才会回来。我第一次守店，还没学会算账。"

看着小老鼠难为情的样子，毛毛说："没关系，你告诉我每份食物的价格，我来帮你算！"

"可是，我连每份食物的价格都不知道呀。"小老鼠想

le xiǎng yòu shuō bú guò wǒ jì de
了 想 ， 又 说 ， " 不 过 ， 我 记 得

zhī qián huī shǔ yé ye lái chī le yì tiáo
之 前 灰 鼠 爷 爷 来 ， 吃 了 一 条

yú hé yì wǎn fàn fù gěi bà ba yuán qián
鱼 和 一 碗 饭 ， 付 给 爸 爸 8 元 钱 。

bái shǔ ā yí lái chī le yì tiáo yú hē
白 鼠 阿 姨 来 ， 吃 了 一 条 鱼 ， 喝

le yì wǎn tāng fù gěi bà ba yuán qián
了 一 碗 汤 ， 付 给 爸 爸 9 元 钱 。

黄鼠伯伯来，吃了一碗饭，

喝了一碗汤，付给爸爸5元钱。"

毛毛听完，说："我已经

算出该付给你多少钱了！"

说完，他就从兜里掏出硬币

递给了小老鼠，还告诉小老

鼠自己是怎么算出来的。小

老鼠听了，非常佩服毛毛。

kǎo kao nǐ
考考你

máo mao yīng gāi fù gěi xiǎo lǎo
毛毛应该付给小老
shǔ duō shao qián ne nǐ zhī dào máo
鼠多少钱呢？你知道毛
mao shì zěn me suàn chū lái de ma
毛是怎么算出来的吗？

yī   bǎ huī shǔ yé ye   bái shǔ ā
一、把灰鼠爷爷、白鼠阿

yí hé huáng shǔ bó bo chī de dōng xi hé qǐ
姨和黄鼠伯伯吃的东西合起

lái   yí gòng shì   tiáo yú   wǎn fàn   wǎn
来，一共是2条鱼、2碗饭、2碗

tāng   tā men yí gòng zhī fù de fàn qián shì
汤，他们一共支付的饭钱是：

8 + 9 + 5 = 22（元）。
　　　　　　　　yuán

èr   máo mao chī le yì tiáo yú
二、毛毛吃了一条鱼、

yì wǎn fàn   hē le yì wǎn tāng   zhèng hǎo
一碗饭，喝了一碗汤，正好

<ruby>是<rt>shì</rt></ruby> <ruby>灰<rt>huī</rt></ruby> <ruby>鼠<rt>shǔ</rt></ruby> <ruby>爷<rt>yé</rt></ruby> <ruby>爷<rt>ye</rt></ruby> <ruby>他<rt>tā</rt></ruby> <ruby>们<rt>men</rt></ruby> <ruby>吃<rt>chī</rt></ruby> <ruby>的<rt>de</rt></ruby> <ruby>东<rt>dōng</rt></ruby> <ruby>西<rt>xi</rt></ruby> <ruby>的<rt>de</rt></ruby>

<ruby>一<rt>yí</rt></ruby> <ruby>半<rt>bàn</rt></ruby> ， <ruby>所<rt>suǒ</rt></ruby> <ruby>以<rt>yǐ</rt></ruby> <ruby>毛<rt>máo</rt></ruby> <ruby>毛<rt>mao</rt></ruby> <ruby>应<rt>yīng</rt></ruby> <ruby>该<rt>gāi</rt></ruby> <ruby>付<rt>fù</rt></ruby> <ruby>给<rt>gěi</rt></ruby> <ruby>小<rt>xiǎo</rt></ruby>

<ruby>老<rt>lǎo</rt></ruby> <ruby>鼠<rt>shǔ</rt></ruby> <ruby>的<rt>de</rt></ruby> <ruby>饭<rt>fàn</rt></ruby> <ruby>钱<rt>qián</rt></ruby> <ruby>是<rt>shì</rt></ruby> : $22 \div 2 = 11$ (<ruby>元<rt>yuán</rt></ruby>) 。

六、鼠奶奶的年龄
LIU SHU NAINAI DE NIANLING

pēng pēng　　　pēng pēng pēng
嘭 嘭 ， 嘭 嘭 嘭……

yè lǐ， máo mao shuì de zhèng xiāng　tū
夜 里 ， 毛 毛 睡 得 正 香 ， 突

rán bèi lóu xià chuán lái de qiāo mén shēng jīng xǐng
然 被 楼 下 传 来 的 敲 门 声 惊 醒 。

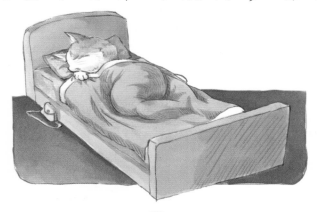

接着，毛毛听到小老鼠嗒嗒地跑下楼，打开了旅店大门。

"乖孩子，我们忘带钥匙了，只好半夜吵醒你，对不起啊！"原来是鼠爸爸和鼠妈妈回来了。

"嘘，你们小声点儿，别把客人吵醒了。"小老鼠提醒爸爸妈妈。

"客人？我们走的时候没有客人来住店呀。"说话的是鼠爸爸。

小老鼠自豪地说："你们

走后不久，店里就来了一位客人。你们看，这是他付的晚饭钱。"

"哎哟！"毛毛猜是鼠爸爸在小老鼠的脸上狠狠地亲了一口，紧接着，他听到小老鼠一家三口上楼的声音。

"乖孩子，今天住店的是一位什么样的客人啊？"路过毛毛的房间时，鼠妈妈小声地问小老鼠。

"嗯，是一只猫。"

"什么？是只猫！"鼠爸

爸压低了嗓门儿，紧张得声音

都有些颤抖，"你怎么能让猫

住进咱们的店啊？"

也许是被鼠爸爸的表情

吓到了，也许是挨了批评觉

得委屈，小老鼠呜呜地哭了

起来。

"这怎么能怪孩子啊，他

又不知道猫是咱们老鼠的死

对头！"鼠妈妈小声地对鼠

爸爸说，"要不，咱们先到孩

子的奶奶家去躲躲吧！"

鼠爸爸叹了口气，说：

"孩子的奶奶年纪大了，咱们半夜去打搅她，合适吗？"

"是啊，孩子奶奶的身子本来就不好，咱们半夜去打搅她，要是把她折腾出个什么好歹……"鼠妈妈长长地叹了口气。

听到这里，毛毛觉得很过意不去。他赶紧走出房间，对小老鼠一家说："你们的话我都听到了。请放心，我保证不会伤害你们。等天一亮，我就会离开这里接着赶路。你们就安心去休息吧！"

鼠爸爸和鼠妈妈吃惊地望着毛毛，过了好一会儿，他们的脸上都露出了赞赏的笑容。

考考你

kǎo kao nǐ

xiǎo lǎo shǔ jīn nián suì děng
小老鼠今年5岁，等

dào le míng nián xiǎo lǎo shǔ nǎi nai de
到了明年，小老鼠奶奶的

nián líng jiù shì xiǎo lǎo shǔ nián líng de
年龄就是小老鼠年龄的10

bèi qǐng nǐ lái suàn yi suàn xiǎo lǎo
倍。请你来算一算，小老

shǔ de nǎi nai jīn nián duō dà suì shu le
鼠的奶奶今年多大岁数了？

xiǎo lǎo shǔ jīn nián suì dào le míng nián
小老鼠今年5岁，到了明年，

tā jiù shì suì tā nǎi nai de nián líng shì tā
他就是6岁，他奶奶的年龄是他

de bèi yě jiù shì suì
的10倍，也就是：6 × 10 = 60（岁）。

nà me jīn nián xiǎo lǎo shǔ nǎi nai de nián líng
那么，今年小老鼠奶奶的年龄

yīng gāi shì suì
应该是：60 − 1 = 59（岁）。

七、身陷狼窝

QI SHEN XIAN LANGWO

qīng chén, yáng guāng tòu guò mào mì de
清晨，阳光透过茂密的

zhī yè, zài dì shang tóu shè chū dà dà xiǎo
枝叶，在地上投射出大大小

xiǎo de guāng bān。 shī rùn de kōng qì zhōng dài
小的光斑。湿润的空气中带

zhe yì gǔ tián sī sī de xiāng wèi, máo mao
着一股甜丝丝的香味，毛毛

qíng bú zì jīn de shēn shēn xī le jǐ kǒu qì。
情不自禁地深深吸了几口气。

bù yí huìr, máo mao lái dào le yí
不一会儿，毛毛来到了一

gè chà lù kǒu。 lù biān lì zhe yí kuài lù
个岔路口。路边立着一块路

pái，shàng miàn huà zhe
牌，上面画着
zuǒ yòu liǎng tiáo lù dōu
左右两条路都
kě yǐ dào dá xīng xing
可以到达星星
hú，zhǐ bú guò zuǒ
湖，只不过左
bian de lù yào jìn yì
边的路要近一
xiē，dàn chōng mǎn wēi
些，但充满危

xiǎn；yòu bian de lù bǐ jiào ān quán，dàn
险；右边的路比较安全，但
yào yuǎn de duō。
要远得多。

gāi wǎng nǎ biān zǒu ne？máo mao yóu yù
该往哪边走呢？毛毛犹豫
le yí xià，jué dìng mào xiǎn zǒu jìn lù。
了一下，决定冒险走近路。
tài yáng yuè shēng yuè gāo，sēn lín li
太阳越升越高，森林里
de wēn dù yě yuè lái yuè gāo，máo mao de
的温度也越来越高，毛毛的
yī fu dōu bèi hàn shuǐ jìn tòu le。zhè shí，
衣服都被汗水浸透了。这时，

55

tā tīng dào yí zhèn huā huā de shuǐ liú shēng
他 听 到 一 阵 哗 哗 的 水 流 声 ——

xīng xing hú yīng gāi bù yuǎn le　máo mao xīng fèn
星 星 湖 应 该 不 远 了! 毛 毛 兴 奋

bù yǐ　bù yóu zì zhǔ de jiā kuài le bù fá
不 已 , 不 由 自 主 地 加 快 了 步 伐 。

　　tū rán　　yì zhī dà huī láng cóng lù
　　突 然 , 一 只 大 灰 狼 从 路

biān cuān le chū lái　　bù yóu fēn shuō de bǎ
边 蹿 了 出 来 , 不 由 分 说 地 把

máo mao bǎng le qǐ lái　　hái yòng yí gè hēi
毛 毛 绑 了 起 来 , 还 用 一 个 黑

tóu tào zhào zhù le tā de tóu　　tuī sǎng zhe
头 套 罩 住 了 他 的 头 , 推 搡 着

bǎ tā yā jìn le yí gè shān dòng
把 他 押 进 了 一 个 山 洞 。

星星湖数学奇遇

"报告大王，我抓住了一只大肥猫！"刚一进洞，大灰狼就嚷嚷开了。

狼王一家正在吃午饭，听说抓来了一只大肥猫，狼王立刻走了过来。他一把扯下罩在毛毛头上的黑头套，生气地对大灰狼说："你的眼睛瞎啦？这么丁点儿大的小猫也叫大肥猫？"

大灰狼赶紧讨好地说："大王您别急，这猫虽小，但咱们可以把他养起来，等他

长肥了再吃！"

狼王想了想，对毛

毛说："小家伙，先去把

今天中午的碗洗了。我

可不能白白养着你！"

"凭什么让我给你干

活儿？你这个大坏蛋！"

毛毛气愤地说。

"呵呵，小家

伙还敢顶嘴？算你

有种！”狼王没有生气，
反倒坏笑起来，“我给你
出一道题，只要你答对
了，我就放了你。要是
答错了，你就得乖乖地
留下来给我干活儿！”

狼窝里到处是狼，

毛毛根本没法儿逃跑，只好答应了狼王。

狼王说："今天中午，一共有20只狼吃饭，每只狼用一个饭碗，2只狼合用一个菜碗，5只狼合用一个汤碗。你说说，一共用了多少个碗啊？"

这道题太简单了，毛毛在心里算了算，很快就说出了正确答案。

考考你

kǎo kao nǐ

nǐ néng suàn chū zhè　　 zhī láng chī
你 能 算 出 这 20 只 狼 吃

wǔ fàn shí zǒng gòng yòng le duō shao gè
午 饭 时 总 共 用 了 多 少 个

wǎn ma
碗 吗 ？

fàn wǎn de gè shù
饭 碗 的 个 数：20 × 1 ＝ 20（gè 个），

cài wǎn de gè shù
菜 碗 的 个 数：20 ÷ 2 ＝ 10（gè 个），

tāng wǎn de gè shù
汤 碗 的 个 数：20 ÷ 5 ＝ 4（gè 个），

wǎn de zǒng gè shù
碗 的 总 个 数：20 ＋ 10 ＋ 4 ＝ 34（gè 个）。

máo mao dá duì le láng wáng chū de tí
毛毛答对了狼王出的题，

zhèng zhǔn bèi lí kāi láng wō què bèi láng wáng
正准备离开狼窝，却被狼王

lán zhù le qù lù
拦住了去路。

"你想耍赖皮？"毛毛指着狼王，生气地说。

"小家伙，你这么聪明，放走你实在太可惜了！"狼王坏笑着说，"这样吧，你留下来教我家小狼的数学。等小狼的数学考及格了，我就放你走。这一次，我保证说话算话！"

看到狼王一副赖皮的样子，毛毛知道，跟这种无赖说什么都没有用，自己只有先答应他的要求，然后再找

jī huì táo zǒu
机 会 逃 走 。

chī guo wǔ fàn máo mao jiù bèi dà
吃 过 午 饭 ， 毛 毛 就 被 大

huī láng dài jìn le xiǎo láng de fáng jiān
灰 狼 带 进 了 小 狼 的 房 间 。

nǐ shì lái péi wǒ wán de ma
"你 是 来 陪 我 玩 的 吗 ？ "

xiǎo láng yí kàn dào máo mao jiù xiǎn de tè
小 狼 一 看 到 毛 毛 ， 就 显 得 特

bié kāi xīn bà ba zǒng shì bǎ wǒ guān zài
别 开 心 ， "爸 爸 总 是 把 我 关 在

wū zi li dōu kuài bǎ wǒ gěi mèn sǐ le
屋 子 里 ， 都 快 把 我 给 闷 死 了 ！ "

nǐ bà ba wèi shén me bǎ nǐ guān qǐ
"你 爸 爸 为 什 么 把 你 关 起

lái a suī rán máo mao bù xǐ huan xiǎo
来 啊 ？ " 虽 然 毛 毛 不 喜 欢 小

láng dàn tā hái shi hěn hào qí tiān xià
狼 ， 但 他 还 是 很 好 奇 ： 天 下

nǎr yǒu bà ba bǎ ér zi chéng tiān guān zài wū
哪儿 有 爸 爸 把 儿 子 成 天 关 在 屋

zi li de ya
子 里 的 呀 。

ài hái bú shì yīn wèi wǒ de shù
"唉 ， 还 不 是 因 为 我 的 数

学老是考不及格啊！"

小狼嘟着嘴，显得非常委屈。

"你不喜欢数学吗？"毛毛觉得很意外，学数学既轻松又有趣，小狼怎么会考不及格呢？

小狼难过地说："其实，我以前也挺喜欢数学的。可是，有一次我数学考试没及格，爸爸狠狠地揍了我一顿。从那以后，我就再也不喜欢数学了，数学成绩也越来越差。"

这时，一直站在门外的

大灰狼说话了："少说废话，

快给小狼王子补习数学！"

毛毛没有办法，只好让

小狼拿出笔和本子，并给小

狼出了一道除法题：被除数

是一个两位数，除数是9。

小狼很不情愿

地接过笔，想了

又想，才在等号

后面写了个

数字——3。

"哎呀，你怎么这么粗心
呀！"毛毛看了一眼小狼的
答案，接着说，"你把被除数
的个位和十位都给弄反了！"

小狼一看，自己果然弄
反了！他很不好意思地吐了一
下舌头，赶紧用橡皮擦把3擦
掉，重新写上了答案。

考考你

你知道毛毛给小狼出的是什么题吗？这道除法题的正确答案应该是多少呢？

sī lù hé dá àn

思路和答案

yào xiǎng jì suàn chū zhèng què de shāng bì
要 想 计 算 出 正 确 的 商 , 必

xū xiān zhī dào zhèng què de bèi chú shù
须 先 知 道 正 确 的 被 除 数 。

yǐ zhī chú shù shì 9 xiǎo láng de dá àn
已 知 除 数 是 9 , 小 狼 的 答 案

shì 3 suǒ yǐ xiǎo láng bǎ bèi chú shù kàn chéng le
是 3, 所 以 小 狼 把 被 除 数 看 成 了:

zài gēn jù máo mao shuō xiǎo láng bǎ bèi
$9 \times 3 = 27$; 再 根 据 毛 毛 说 小 狼 把 被

chú shù de gè wèi hé shí wèi gěi nòng fǎn le suǒ
除 数 的 个 位 和 十 位 给 弄 反 了 , 所

yǐ zhèng què de bèi chú shù yīng gāi shì 72
以 , 正 确 的 被 除 数 应 该 是 72,

zhè dào chú fǎ tí de zhèng què dá àn shì
这 道 除 法 题 的 正 确 答 案 是 :

$72 \div 9 = 8$。

九、狼窝脱险

JIU LANGWO TUO XIAN

夜里，毛毛被关进了小狼房间旁的一间小屋子。

小屋里的光线很昏暗，火把的光亮透过门缝儿，在地上印出一道淡黄色的光线。

毛毛坐在墙角，心里很着急："妈妈还在等着我给她带星星项链回去，我得想办法快点儿逃出去！"

可是，这个房间三面都是冰冷的石壁，唯一可以进出的门又被大灰狼把守着。再说，即使出了这道门，山洞里到处都是狼王的手下，又怎么逃得出去呢？

就在毛毛感到绝望的时候，屋子的门被打开了。

"嘘……"开门的是小狼，

他把手指放在嘴边，示意毛

毛不要出声，"跟我来！"

毛毛走到门口，看见大

灰狼已经躺在椅子上睡着了，

他的口水顺着嘴角滴答滴答

地往下淌。

小狼从石壁上取下一支火

把，带着毛毛往山洞深处走去。

"你要带我去哪儿？"毛

毛不知道小狼想干什么。

"我知道你不愿待在我们

这儿。"小狼说，"山洞的大

门口有我爸爸的手下看守，
没法儿出去。但我知道这里还
有一条小路，可以通向山洞
的另一个出口。"

"你要放我走？"毛毛感
激地看了小狼一眼，"我走
了，你怎么办？"

zhè ge nǐ bú yòng guǎn shuō
"这个你不用管！"说

zhe xiǎo láng zhǐ le zhǐ qián fāng bú
着，小狼指了指前方，"不

guò qián miàn yǒu yì tiáo kuān mǐ de huán xíng
过，前面有一条宽2米的环形

shēn gōu bǎ lù gěi jié duàn le cóng qián
深沟，把路给截断了。从前，

gōu shang hái yǒu yí zuò mù qiáo hòu lái bà
沟上还有一座木桥，后来爸

ba fā xiàn wǒ jīng cháng cóng zhè lǐ liū chū qù
爸发现我经常从这里溜出去

wán tā jiù bǎ mù qiáo gěi chāi le
玩，他就把木桥给拆了。"

máo mao yí kàn kě bú shi ma yí
毛毛一看，可不是吗！一

duàn zú yǒu mǐ kuān de huán xíng shēn gōu lán zhù
段足有2米宽的环形深沟拦住

le tā men de qù lù
了他们的去路。

zhè lǐ yǒu
"这里有

liǎng kuài mǐ cháng de
两块2米长的

mù bǎn wǒ yuán xiǎng
木板。我原想

用它们搭座桥过去，可是一试，才发现它们的长度和沟的宽度是一样的。我一松手，木板就会掉进深沟。"小狼指了指沟边的两块木板，对毛毛说，"你这么聪明，我想你肯定有办法，用这两块木板搭桥过去的！"

"有这两块木板，就足够了！"毛毛想了想，很快就用两块木板搭了一座木桥。在小狼的帮助下，他顺利地走过了深沟，逃出了狼窝。

kǎo kao nǐ
考考你

nǐ　zhī　dào　máo　mao　shì　zěn
你　知　道　毛　毛　是　怎

yàng yòng liǎng kuài　mù　bǎn　dā　mù　qiáo
样　用　两　块　木　板　搭　木　桥

de　ma
的　吗？

rú tú suǒ shì　　máo mao xiān zài huán xíng
如 图 所 示 ， 毛 毛 先 在 环 形

shēn gōu de biān yuán héng zhe fàng yí kuài mù bǎn
深 沟 的 边 缘 横 着 放 一 块 木 板 ，

zài zài zhè kuài mù bǎn de chuí zhí fāng xiàng fàng shàng
再 在 这 块 木 板 的 垂 直 方 向 放 上

lìng yí kuài mù bǎn　　mù qiáo jiù dā hǎo la
另 一 块 木 板 。 木 桥 就 搭 好 啦 ！

十、丰盛的晚餐

SHI FENGSHENG DE WANCAN

dāng máo mao táo chū láng wō de shí hou
当 毛 毛 逃 出 狼 窝 的 时 候，

tiān yǐ jīng liàng le　　máo mao gù bú shàng xiū
天 已 经 亮 了 。 毛 毛 顾 不 上 休

xi　　xún zhe huā huā de shuǐ liú shēng jì xù
息 ， 寻 着 哗 哗 的 水 流 声 继 续

gǎn lù　　hěn kuài jiù yòu zhǎo dào le xīng xing hé
赶 路 ， 很 快 就 又 找 到 了 星 星 河 。

星星河里有许多鹅卵石，

被湍急的河水冲洗得光滑透

亮，偶尔还有几条小鱼在石

头缝儿里穿梭。毛毛沿着布满

苔藓的山路逆流而上，由于

心急路滑，他一连摔了好几

个跟头，弄得自己满身都是

青青的苔藓。不知走了多久，

星星河的水流渐渐变得平缓

起来。看来，星星湖就快到了！

这时，毛毛看见前面有

一位熊奶奶，她拄着拐杖，

提着一篮子菜，十分艰难地

向前走着。毛毛赶紧追上去，

接过熊奶奶手中的菜篮子，

说："熊奶奶，您住哪儿啊，

让我帮您把菜提回家吧！"

"哦，原来是只可爱的小

猫啊！"熊

奶奶惊讶地

说，"你到

这里来做

什么啊？"

"我要

到星星湖去

捞星星，给

妈妈做条星星项链！"毛毛
挺了挺胸脯，自豪地说。

"你真是个孝顺的孩子！"
熊奶奶笑盈盈地说，"我家就
在前面不远处，你到星星湖
去，还要从我家门前路过呢！"

"真的？那太好了！"毛
毛提着菜篮子，搀扶着熊奶
奶继续往前走。

毛毛看了看菜篮子里的
蔬菜，问熊奶奶："您买了这
么多种菜啊？"

"不多，这里只有5种蔬

cài
菜。"熊奶奶笑呵呵地说,"不

guò
过,我可是个超级棒的厨师

yo
哟!我能用这5种蔬菜中的任

yì
意两种,炒出一道可口的菜

yáo
肴。你算算,我这5种蔬菜,

kě
可以做出多少道不同的菜肴啊?"

毛毛算了算，情不自禁地说：“啊，这么多啊！”

“想不想尝尝我的手艺啊？”熊奶奶问。

“想是想，不过……”

“不过，你还要赶着到星星湖去，对吗？”熊奶奶慈祥地看着毛毛，说，“等你走到星星湖时，天已经黑了，星星们早就回到天上去喽！你不如先到我家，饱饱地吃上一顿，再美美地睡上一觉。等到天快亮的时候，你再出发，

zhèng hǎo kě yǐ gǎn zài xīng xing men zhī qián dào
正　好　可　以　赶　在　星　星　们　之　前　到

dá xīng xing hú
达　星　星　湖　。"

máo mao xiǎng le xiǎng　gāo xìng de shuō
毛　毛　想　了　想　，高　兴　地　说：

nà tài hǎo le　xiè xie nín　xióng nǎi nai
"那　太　好　了　！谢　谢　您　，熊　奶　奶　。"

kǎo kao nǐ
考考你

xióng nǎi nai yòng　zhǒng shū cài
熊　奶　奶　用　5　种　蔬　菜

kě yǐ zuò chū duō shao dào bù tóng de
可　以　做　出　多　少　道　不　同　的

cài yáo ne
菜　肴　呢　？

yǐ zhī xióng nǎi nai néng yòng zhǒng shū cài
已知，熊奶奶能用5种蔬菜

zhōng de rèn yì liǎng zhǒng zuò chū yí dào cài yáo
中的任意两种做出一道菜肴，

jiǎ shè zhè zhǒng shū cài fēn bié wéi
假设这5种蔬菜分别为A、B、C、D、

zhù yì cài yáo yǔ cài yáo shì tóng
E。注意：菜肴AB与菜肴BA是同

yí dào cài yáo bù yīng chóng fù jì shù
一道菜肴，不应重复计数。

cài yáo zhōng bāo hán shū cài de hái yǒu
菜肴中包含A蔬菜的还有：

AB、AC、AD、AE，共4道；
gòng dào

cài yáo zhōng bāo hán shū cài de hái yǒu
菜肴中包含B蔬菜的还有：

BC、BD、BE，共3道；

菜肴中包含C蔬菜的还有：

CD、CE，共2道；

菜肴中包含D蔬菜的还有：

DE，共1道；

菜肴中包含E蔬菜的情况均已计数，故为0道；

所以，熊奶奶一共可以做出的菜肴数：4＋3＋2＋1＋0＝10（道）。

十一、美丽的星星湖

SHIYI MEILI DE XINGXING HU

dì èr tiān yí dà zǎo　　 máo mao jiù
第 二 天 一 大 早 ， 毛 毛 就

qīng shǒu qīng jiǎo de qǐ le chuáng　 tā zhěng lǐ
轻 手 轻 脚 地 起 了 床 。 他 整 理

hǎo bèi zi　 dǎ kāi fáng mén zhǔn bèi chū fā
好 被 子 ， 打 开 房 门 准 备 出 发 。

méi xiǎng dào　 xióng nǎi nai yǐ jīng zuò zài kè
没 想 到 ， 熊 奶 奶 已 经 坐 在 客

tīng de shā fā shang děng zhe tā le
厅 的 沙 发 上 等 着 他 了 。

zhè shì zhuāng xīng xing de dài zi hé
“ 这 是 装 星 星 的 袋 子 和

chuān xiàng liàn de xiàn　　 xióng nǎi nai ná chū
穿 项 链 的 线 。 ” 熊 奶 奶 拿 出

一个白色的丝绸袋子和一条银色丝线，说，"你是一个有爱心的乖孩子，祝你实现自己的愿望！"

　　毛毛向熊奶奶道谢后，走进了满是星光的丛林。

　　天还没亮，毛毛就来到了星星湖边。星星湖真大啊，放眼望去，湖面和天空仿佛已经连在了一起。银色的星

光撒在湖面，微风一吹，波
光粼粼的，美丽极了。

毛毛坐在湖边，静静地
等待着星星的到来。不久，
一颗星星在天空划出一道美
丽的白光，朝着星星湖飞来。
接着，第二颗、第三颗……一
道道白光把天空照得格外明
亮。扑通、扑通，
一颗颗星星落进了

星星湖，把星星湖变成了一片地上的星空。

毛毛激动得心都快跳出来了，握着渔网的手都有些发抖。毛毛努力控制激动的情绪，他瞄准湖边的一颗星星，一网下去，把它捞了起来，放进了熊奶奶送给他的白色丝袋。

接着，毛毛一连捞起了几十颗星星，白色的丝袋变得亮闪闪的。

当毛毛拎着沉甸甸的袋

子准备离开时，一个身穿
铠甲的巨人突然出现在星
星湖中。

"我是守卫星星湖的天
神。你想把星星带走的话，

就必须答对我出的一道题。否
则，我就把你变成一只石头
猫。"巨人凶巴巴地说，"小
猫咪，我劝你最好还是乖乖
地把星星放回湖里！"

"不，我一定要把星星带

走！"毛毛勇敢地说，"你出题吧！"

"那你听好喽。"巨人说，"今天来星星湖游泳的星星分成了两群，一群聚在湖边，一群在湖中央。在湖边游泳的星星有34颗，如果其中4颗游到了湖中央，那么湖中央的星星数量正好是湖边星星数量的3倍。你说，湖中央原来有多少颗星星呀？"

毛毛在心里仔细地算了算，大声说出了答案。

kǎo kao nǐ
考考你

nǐ zhī dào hú zhōng yāng yuán lái
你知道湖中央原来

yǒu duō shao kē xīng xing ma
有多少颗星星吗？

yī　　　　hú biān de xīng xing yǒu　kē yóu
一 、 湖 边 的 星 星 有 4 颗 游

dào le hú zhōng yāng　　nà me liú zài hú biān de
到 了 湖 中 央 , 那 么 留 在 湖 边 的

xīng xing de shù liàng shì
星 星 的 数 量 是 :34 － 4 ＝ 30 (颗) ;
　　　　　　　　　　　　　　　　　　kē

zhè shí　　　hú zhōng yāng xīng xing de shù liàng shì
这 时 , 湖 中 央 星 星 的 数 量 是

<ruby>湖<rt>hú</rt></ruby><ruby>边<rt>biān</rt></ruby><ruby>星<rt>xīng</rt></ruby><ruby>星<rt>xing</rt></ruby><ruby>数<rt>shù</rt></ruby><ruby>量<rt>liàng</rt></ruby><ruby>的<rt>de</rt></ruby>3<ruby>倍<rt>bèi</rt></ruby>，<ruby>所<rt>suǒ</rt></ruby><ruby>以<rt>yǐ</rt></ruby>

<ruby>湖<rt>hú</rt></ruby><ruby>中<rt>zhōng</rt></ruby><ruby>央<rt>yāng</rt></ruby><ruby>的<rt>de</rt></ruby><ruby>星<rt>xīng</rt></ruby><ruby>星<rt>xing</rt></ruby><ruby>的<rt>de</rt></ruby><ruby>数<rt>shù</rt></ruby><ruby>量<rt>liàng</rt></ruby><ruby>是<rt>shì</rt></ruby>：

30 × 3 = 90（<ruby>颗<rt>kē</rt></ruby>）。

<ruby>二<rt>èr</rt></ruby>、<ruby>湖<rt>hú</rt></ruby><ruby>中<rt>zhōng</rt></ruby><ruby>央<rt>yāng</rt></ruby><ruby>原<rt>yuán</rt></ruby><ruby>来<rt>lái</rt></ruby><ruby>星<rt>xīng</rt></ruby><ruby>星<rt>xing</rt></ruby><ruby>的<rt>de</rt></ruby>

<ruby>数<rt>shù</rt></ruby><ruby>量<rt>liàng</rt></ruby><ruby>应<rt>yīng</rt></ruby><ruby>该<rt>gāi</rt></ruby><ruby>是<rt>shì</rt></ruby>：90 − 4 = 86（<ruby>颗<rt>kē</rt></ruby>）。

十二、幸福的猫妈妈

SHIER XINGFU DE MAO MAMA

守卫星星湖的巨人感到很吃惊，他没想到，毛毛这个小不点儿能够这么轻松地答对自己出的题。巨人高兴地说："我知道，你千辛万苦来到星星湖，是想捞起漂亮的星星，给你的妈妈做一条项

liàn　　　nǐ zhēn shì yí gè xiào shùn　　cōng míng
链 。 你 真 是 一 个 孝 顺 、 聪 明

yòu yǒng gǎn de nán zǐ hàn
又 勇 敢 的 男 子 汉 ！ ”

　　　　"nín zěn me zhī dào wǒ xiǎng gěi mā ma
　　　　"您 怎 么 知 道 我 想 给 妈 妈

zuò xiàng liàn ne　　　　máo mao jué de hěn qí guài
做 项 链 呢 ？ ” 毛 毛 觉 得 很 奇 怪 。

　　　　"wǒ shì tiān shén a　　shén tōng guǎng
　　　　"我 是 天 神 啊 ， 神 通 广

dà　　　jù rén zì háo de tǐng zhí le yāo bǎnr
大 ！ ” 巨 人 自 豪 地 挺 直 了 腰 板儿 。

　　　　shén tōng guǎng dà de tiān shén　　nín néng
　　　　"神 通 广 大 的 天 神 ， 您 能

ràng wǒ mǎ shàng huí dào jiā li qù ma
让 我 马 上 回 到 家 里 去 吗 ？ ”

máo mao mǎn huái qī dài de wàng zhe jù rén
毛 毛 满 怀 期 待 地 望 着 巨 人 。

　　　　"hā hā　　nǐ zhēn shì yí gè jī ling
　　　　"哈 哈 ， 你 真 是 一 个 机 灵

guǐ　　hǎo ba　　wǒ zhè jiù sòng nǐ huí qù
鬼 ！ 好 吧 ， 我 这 就 送 你 回 去 。 ”

巨人让毛毛闭上眼睛，然后对着他轻轻地吹了一口气。毛毛觉得自己一下子飞了起来，耳边响起了呼呼的风声。

过了好一会儿，风声停了。毛毛慢慢地睁开眼睛，朝周围一看，自己居然已经站

在自己家的院子里了！

妈妈和哥哥姐姐们还在

睡觉，毛毛不想打扰他们，他

悄悄地走进自己的房间，开

始用银色丝线把星星穿起来。

他先穿一颗大星星，然后穿

上4颗小星星，接着又穿一颗

大星星和4颗小星星……

毛毛按照这样的规律，

很快穿完了最后一颗小星星，

项链就做好了！啊，星星项链

真漂亮啊！毛毛把星星项链藏

进怀里，敲开了妈妈的房门。

妈妈一看到毛毛，立刻把他揽进怀里，激动地说："我的宝贝，你总算回来了！星星湖不过是个传说，你怎么就真的去捞星星了呢？妈妈都快急死了！"

"妈妈，您看！"毛毛从怀里掏出了星星项链，戴到了妈妈的脖子上。

"啊，你真的捞到星星了！"妈妈低头看着闪闪发光的星星项链，高兴极了，她在毛毛的脸蛋儿上亲了一口，

guāi hái zi xiè xie nǐ nǐ ràng wǒ chéng
"乖 孩 子 ， 谢 谢 你 ！ 你 让 我 成

le shì jiè shang zuì xìng fú de mā ma
了 世 界 上 最 幸 福 的 妈 妈 ！ "

máo mao sòng gěi mā ma de xīng xing
毛毛送给妈妈的星星

xiàng liàn shang yí gòng yǒu kē dà xīng
项链上，一共有 5 颗大星

xing qǐng nǐ suàn yi suàn xiàng liàn shang
星。请你算一算，项链上

yí gòng yǒu duō shao kē xiǎo xīng xing ne
一共有多少颗小星星呢？

máo mao chuān xiàng liàn de shí hou shì
毛 毛 穿 项 链 的 时 候 ， 是

àn zhào yì kē dà xīng xing hòu miàn jiē zhe kē
按 照 一 颗 大 星 星 后 面 接 着 4 颗

xiǎo xīng xing de guī lù lái chuān chéng yí chuàn de
小 星 星 的 规 律 来 穿 成 一 串 的 。

yǒu kē dà xīng xing jiù yīng gāi yǒu zǔ xiǎo
有 5 颗 大 星 星 ， 就 应 该 有 5 组 小

xīng xing suǒ yǐ xiǎo xīng xing de shù liàng shì
星 星 ， 所 以 小 星 星 的 数 量 是 ：

$$4 + 4 + 4 + 4 + 4 = 4 \times 5 = 20(\overset{kē}{颗})。$$

图书在版编目（CIP）数据

星星湖数学奇遇 / 苏超峰著. —成都：四川少年儿
童出版社，2021.6（2022.10 重印）
（越读越聪明的数学思维故事）
ISBN 978-7-5365-9874-4

Ⅰ．①星… Ⅱ．①苏… Ⅲ．①数学—儿童读物 Ⅳ．
①O1-49

中国版本图书馆 CIP 数据核字（2021）第 085612 号

出 版 人　常　青

策　　划　明　琴
责任编辑　林颖文
装帧设计　李乐欣
插　　图　黑·白
责任校对　张舒平
责任印制　袁学园

XINGXING HU SHUXUE QIYU

书　　名	**星星湖数学奇遇**
作　　者	苏超峰
出　　版	四川少年儿童出版社
地　　址	成都市锦江区三色路 238 号
网　　址	http://www.sccph.com.cn
网　　店	http://scsnetcbs.tmall.com
经　　销	新华书店
图文制作	喜唐平面设计工作室
印　　刷	天津图文方嘉印刷有限公司
成品尺寸	210mm × 147mm
开　　本	32
印　　张	3.5
字　　数	70 千
版　　次	2021 年 6 月第 1 版
印　　次	2022 年 10 月第 7 次印刷
书　　号	ISBN 978-7-5365-9874-4
定　　价	25.00 元

可乐的一年级

可乐的二年级

越读越聪明的
数学思维 故事

winshare文轩

四川少年儿童出版社

越读越聪明的 **数学思维** 故事

读故事，练思维。
轻松爱上数学。

ISBN 978-7-5365-9874-4

9 787536 598744 >

绿色印刷产品

定价：25.00元

水的星星分成了两群，一群聚在湖边，一群在湖中央。
4颗，如果其中4颗游到了湖中央，那么湖中央的星星
量的3倍。请问湖中央原来有多少颗星星呀？

问题三

小猫准备送给妈妈一条星星项链，他按照一颗大星星后面接4颗小星星的规律来穿成一串。小猫一共穿了5颗大星星，那这条项链上一共有多少颗小星星呢？

翻开书就可以
找到答案哟！

winshare 文轩

四川少年儿童出版社

越读越聪明的**数学思维**故事

读故事，练思维。

轻松爱上数学。

ISBN 978-7-5365-9874-4

9 787536 598744 >

定价：25.00元

藏数学思维分级阅读系列

小学一、二年级适读

数学名师审订

越读越聪明的 **数学思维** 故事

鼠儿岛数学历险

苏超峰 著

苏超峰

苏超峰，长期坚持为孩子们写"有营养的故事"。曾从事教育工作二十余年，现为四川省作家协会会员、四川省科普作家协会会员。主要作品有：《可乐的一年级》《可乐的二年级》《数学城历险记》等。

本书内容由小学数学名师审订——

☆ 林成根：国家一级数学教练。被评为十佳道德标兵、四川省骨干教师、成都市优秀青年教师。

☆ 郭峰：从事数学教学工作二十余年。被评为成都市骨干教师、成都市金牛区优秀青年教师。

☆ 杜蓉：四川省骨干教师、成都市金牛区数学学科带头人。曾获新世纪小学数学教学设计与课堂展示活动特等奖。

四川少年儿童出版社

快和我们一起进入数学世界吧！

游戏说明

鼠儿岛的南山上，藏着一件神秘的宝物，吸引了很多人去寻宝。然而岛上地形复杂，从起点出发，到终点南山，只有一条路可走。如果想得到南山上的宝物，不仅要避开路上的障碍，还要解答岛上所有的数学题。聪明的小朋友，你想试试吗？赶快参加鼠儿岛的数学历险吧！

毛毛上午10点55分从山脚出发，到了山上是上午11点45分。毛毛从山脚到山上一共花了多长时间？

老鼠吃了仙药后，身体长度每天长一倍，到第四天就长到了80厘米。那么，在第二天，老鼠的身体有多长？

小学一、二年级适读 数学名师审订

越读越聪明的 **数学思维** 故事

鼠儿岛数学历险

苏超峰 著

四川少年儿童出版社